D1301293

Quand j'étais chien

Les éditions de la courte échelle inc.
160, rue Saint-Viateur Est, bureau 404
Montréal (Québec) H2T 1A8
www.courteechelle.com

Révision : Hélène Ricard

Dépôt légal, 3ᵉ trimestre 2011
Bibliothèque nationale du Québec
Copyright © 2011 Les éditions de la courte échelle inc.

La courte échelle reconnaît l'aide financière du gouvernement du Canada par l'entremise du Fonds du livre
du Canada pour ses activités d'édition. La courte échelle est aussi inscrite au programme de subvention globale
du Conseil des Arts du Canada et reçoit l'appui du gouvernement du Québec par l'intermédiaire de la SODEC.

La courte échelle bénéficie également du Programme de crédit d'impôt pour l'édition de livres
— Gestion SODEC — du gouvernement du Québec.

Catalogage avant publication de Bibliothèque et Archives nationales du Québec
et Bibliothèque et Archives Canada

Bombardier, Louise
Quand j'étais chien
ISBN 978-2-89651-813-5
I. Maurey, Katty. II. Titre.

PS8553.O496Q36 2011   C843'.54   C2011-941136-9
PS9553.O496Q36 2011

Imprimé en Malaisie

Louise Bombardier
et
Katty Maurey

QUAND j'étais CHIEN

la courte échelle

Je m'appelle Toto.
Mon autre nom, c'est Antoine.
Mais personne dit Antoine.
J'ai vingt-cinq ans d'âge.
En chiffres de grandes personnes.
Dans ma tête de corniaud, j'ai cinq ans.
Tout le monde sait ça.

Dans notre maison, en campagne, il y a aussi maman Gritte
et mon petit frère Jacques. Il a vingt-deux ans d'âge.
Il est plus large que haut. Il travaille dans les forêts. Il tue
les arbres avec sa grosse scie qui fait mal aux oreilles.
Jacques est un as de la gifle, mais je cours plus vite que lui.

Moi, je suis le roi de la gaffe. Je m'emmêle dans mes pieds
et j'échappe ma tasse de chocolat chaud sur Jacques. Il devient
rouge comme un camion de pompier. Il fonce sur moi avec
sa grosse main levée. Alors, maman se fâche contre lui :
— *Laisse Toto tranquille, tu vois bien qu'il ne le fait pas exprès !*
Jacques donne un coup de poing sur la cuisinière, et moi,
dans son dos, je ris comme une otarie.

Mais tout ça, mon histoire avec Jacques et maman Gritte,
c'était avant. Avant d'habiter dans la niche avec Delphine,
mon chien.

Moi, j'ai connu pas mal de choses.
Avant d'être chien, je veux dire.
Des choses très loin en arrière.
Maman Gritte, Jacques… et l'odeur
de la soupe aux pois à maman.
Elle était gentille, maman,
mais toujours à s'inquiéter de tout.

Un jour, maman a commencé à disparaître.

Elle restait très longtemps dans la chambre et il ne fallait pas la déranger. Moi, je m'assoyais au pied du lit pour regarder son sommeil. Elle ne disait rien ou poussait parfois des grands soupirs :

— *Pauvre enfant, qu'est-ce que tu vas devenir ?*

Elle était blanche comme le drap, et aussi froissée que lui. Chaque jour, elle rapetissait. Un jour, je ne l'ai plus vue.

Mon frère Jacques m'a annoncé :

— *Tu vas aller vivre un moment chez oncle Pierre. Maman est très malade, et le médecin a demandé qu'on ne la dérange plus.* J'ai pas osé demander pourquoi et je me suis retrouvé chez oncle Pierre. Il a trente-quatre ans d'âge.

Oncle Pierre est le petit frère de maman Gritte. Il est frisé comme un mouton, avec plein de dents blanches de lapin. Ça ne l'empêche pas d'avoir des jumeaux de trois ans d'âge et une femme gentille, comme maman Gritte, sauf que Diane, on dirait un clou avec une tête de champignon rouge. Mais elle est plus forte que maman en gâteaux au chocolat.

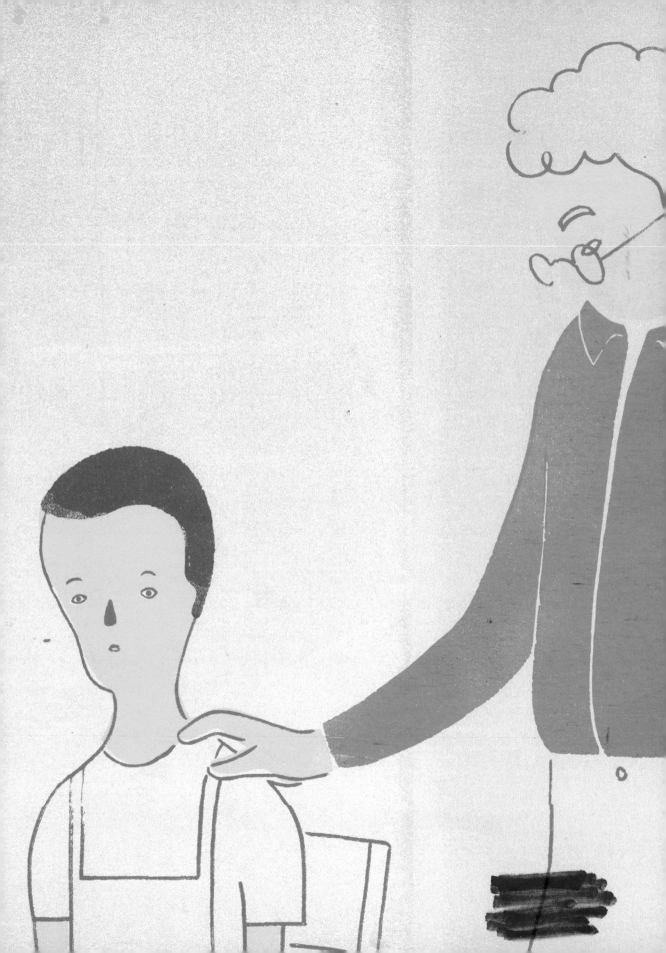

Chez oncle Pierre, ce n'est pas la campagne. Il y a
beaucoup de petits carrés de pelouses très vertes,
des balançoires, des piscines bleues comme
des morceaux tombés du ciel.

Je pousse les deux petits enfants sur la balançoire pour
les faire voler très haut, comme des oiseaux. Ensuite,
je les porte sur mon dos de chameau. Ils rient comme
des dauphins. On s'amuse.

Luce et Léon, un garçon et une fille, sont jumeaux, mais
pas pareils du tout. Luce a des cheveux jaunes, c'est doux
comme les poussins. Sa voix est celle d'un bébé oiseau.
Léon a des cheveux de hérisson noir, qui ne piquent pas.
Il court plus vite que moi, avec comme du sable dans
sa voix quand il crie :
— *Je suis arrivé avant toi, Toto !*

Oncle Pierre m'explique :
— *Ce sont tes cousins, Toto. On fait tous partie
de la même famille !*
Quand il dit le mot « famille », ça me chatouille ici,
dans le trou du ventre.

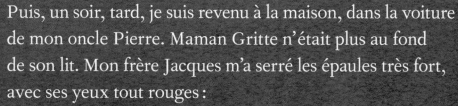

Puis, un soir, tard, je suis revenu à la maison, dans la voiture
de mon oncle Pierre. Maman Gritte n'était plus au fond
de son lit. Mon frère Jacques m'a serré les épaules très fort,
avec ses yeux tout rouges :
— *Je suis responsable de toi maintenant !*
Mon oncle Pierre nous a quittés avec sa voiture et ses yeux
mouillés. Avant de partir, il a flatté mes cheveux de corniaud,
avec une voix si douce que ça a ouvert le robinet de mes deux
yeux. J'ai mouillé tout mon chandail par-devant.

— *Tu sais, Toto, ta maman était très fatiguée. Elle est partie*
en voyage. Un long voyage, pour se reposer.
— *Long comment ?* j'ai demandé.
— *Un très long voyage.*
Après, il a mis un baiser sur mon front, mais moi
je regardais mes lacets pendouiller.

Puis, le moteur de son auto a fait un bruit de pétard
et il est parti en voyage lui aussi.

— *Mouche-toi*, a dit mon frère Jacques.

— *Non, je laisse couler*, j'ai répondu.

— *Tête de nœud*, qu'il m'a lancé. *Fais gaffe, je m'en vais travailler !*

Je me sentais comme une fourmi écrasée par un pied.

Tous les autres matins, j'ai continué comme avant :
je venais dans la chambre de maman Gritte. Je m'assoyais
au pied de son lit. Je caressais le drap. J'attendais qu'elle
me dise quoi faire. Maman était tellement transparente
qu'on ne voyait plus sa forme sous le drap. Je ne disais
rien, pour la laisser tranquille.

Des choses qu'on ne peut pas expliquer me manquaient,
comme son odeur de creux de cou, sa main dans
mes cheveux de corniaud et sa soupe aux pois. Ça me
chatouillait tellement d'y penser que je me mettais à rire
très fort.

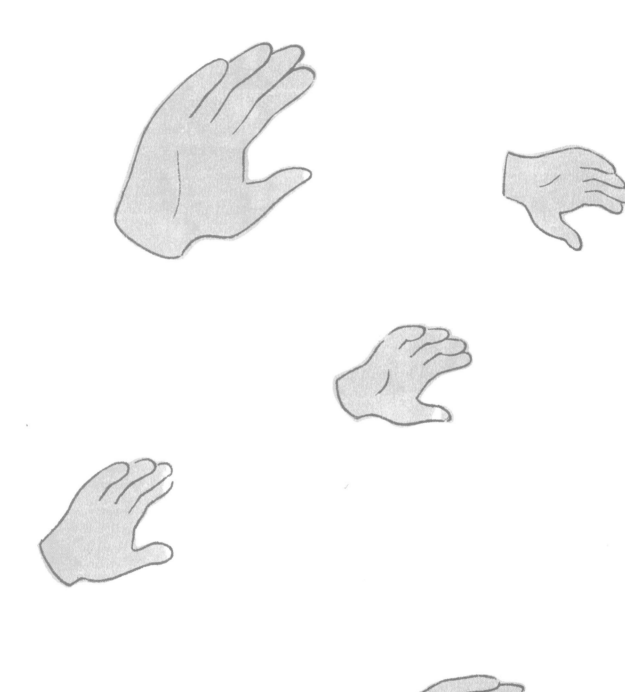

Mon frère Jacques entrait dans la chambre et me regardait
avec des yeux comme des trous de fusils :

— *Ce n'est pas la peine de rester là à rire comme un débile,*
ça ne la fera pas revenir !

« Sa cocotte va exploser ! » que j'ai pensé dans ma tête.

Alors je suis sorti dans la cour, pour me sauver de la pluie
de gifles.

Plus tard, mon frère Jacques n'est plus allé travailler dans les forêts. Ce n'était jamais arrivé avant. Il restait couché toute la journée et, la nuit, il criait. Il oubliait de me dire les choses, alors je ne savais plus rien de rien. Jacques fumait et buvait de l'alcool comme à Noël, et ça, c'est interdit dans la maison.

— *Tu vas voir quand maman va revenir, elle ne sera pas contente !* je lui criais.

Ses yeux étaient comme des trous de fusils tristes.

Je courais loin dans les champs.

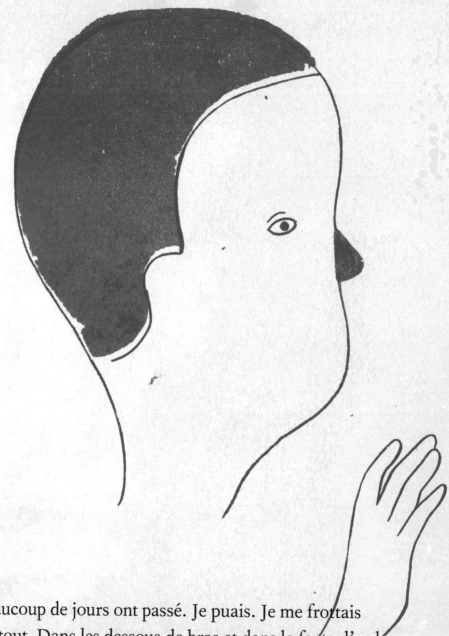

Beaucoup de jours ont passé. Je puais. Je me frottais
partout. Dans les dessous de bras et dans la fente d'en bas
avec la serviette mouillée. Mais l'odeur ne partait pas.
Et puis, plus tard, je ne puais même plus. Peut-être
que j'avais perdu mon nez. Je ne sentais plus rien.

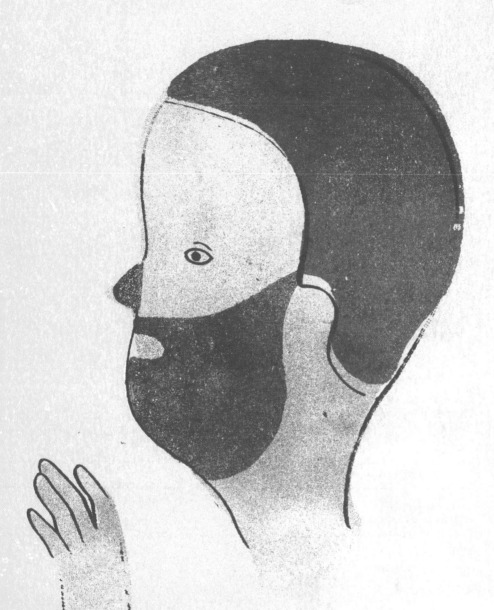

Sauf le poil de la barbe, qui gratte et pique quand ça
pousse sur les joues, le cou et le menton. Après, ça devient
tout doux comme de la mousse de bain. Sur mes dents,
il y a comme du velours jaune. Mes pieds ont des orteils
tout noirs. La crasse, moi, je la roule avec une petite clé.

Je me regardais dans le miroir avec ma barbe rouge
et je me demandais :
— *Est-ce qu'elle va pousser jusqu'à mes pieds ?*
Je vais marcher dessus !
Et alors, je riais comme une otarie. Jacques criait :
— *Tu la fermes, ta gueule ?*
Maman Gritte, elle, me rasait le matin. Elle me répétait :
— *Le rasoir, ça, n'y touche pas, jamais, tu m'entends !*
C'est promis ?
Je n'y ai pas touché. J'avais promis.

Jacques ne faisait pas de soupe, toujours des œufs brûlés dans la poêle. Il ne me parlait pas ou parlait tout seul longtemps avec des mots que maman ne voulait pas que j'entende. Alors, moi, je tombais dans la lune.

Puis, mon frère Jacques, il s'est mis à sortir tous les soirs
jusqu'à très tard dans la nuit, et moi, pendant ce temps,
j'allais toujours voir maman Gritte dans sa chambre.
Je pensais que si je lui chantais les chansons qu'on aimait,
ça la ferait peut-être revenir plus vite. Jacques, il buvait
beaucoup de bouteilles de bière, il tombait partout, même
sur moi. Il parlait avec du caoutchouc dans sa bouche :
— *Ma vie est foutue à cause de toi, tête de nœud !*
Et il me montrait ses gros poings rouges en colère.

J'avais encore plus peur de lui depuis que maman Gritte
était partie. Ses gifles s'étaient changées en coups
de marteau. Je courais me cacher dehors le plus souvent
possible.

Un soir que je faisais l'espion dehors, caché derrière
un buisson, j'ai regardé par la fenêtre et j'ai vu mon frère
Jacques, à quatre pattes dans sa chambre, avec une lampe
de poche. Il a embrassé une photo de maman Gritte,
qui était sur sa commode, puis il l'a mise dans son sac
de dos, avec les bouteilles de bière. Après, il a éteint
sa lampe de poche, puis il est sorti de la maison
en se cognant partout.

Il faisait comme les poules quand elles ont perdu leur tête.

Rendu dehors, il est passé derrière moi sans me voir.
Ça lui a pris trois fois avant de grimper sur sa bicyclette.
Il a disparu au loin, en branlant, comme dans les dessins
animés. J'ai attendu longtemps dehors ; il n'est pas revenu.
Je suis rentré dans la maison.

Dans ma tête, ça tournait comme une toupie. Je tremblais comme de la gélatine d'orage, avec des éclairs et du tonnerre électrique. J'ai couru tout raconter à maman Gritte, dans sa chambre :

— *Ça fait au moins trois jours, en plus des nuits, qu'il est parti. Ça fait que je ne les compte même plus, maman.*
Il ne va pas revenir, Jacques ?
Elle n'a rien dit, elle a fait le lit vide, pas une bosse.
— *T'es pas gentille !* je lui ai crié. Puis j'ai frappé le lit.
J'étais fâché contre elle pour la première fois.
Après ça, j'ai dormi.

Plus tard, j'ai essayé le téléphone. J'ai tapé dessus comme faisait maman, j'ai hurlé :
— *Allo ! Allo ! Tu ne reviens pas à la maison, Jacques ?*
Ça faisait juste bip bip. C'était cassé.

Après, je suis venu de moins en moins souvent dans la chambre de maman Gritte. J'ai continué à être un peu fâché contre elle. Je lui avais raconté que j'avais avalé une boule dans le ventre qui me faisait très mal.

— *Pourquoi tu me parles plus, maman ?*

Elle faisait l'oreille sourde. Il me venait plein de questions qui n'avaient pas de réponse, c'était difficile :

« J'ai faim. Comment je vais manger ? »

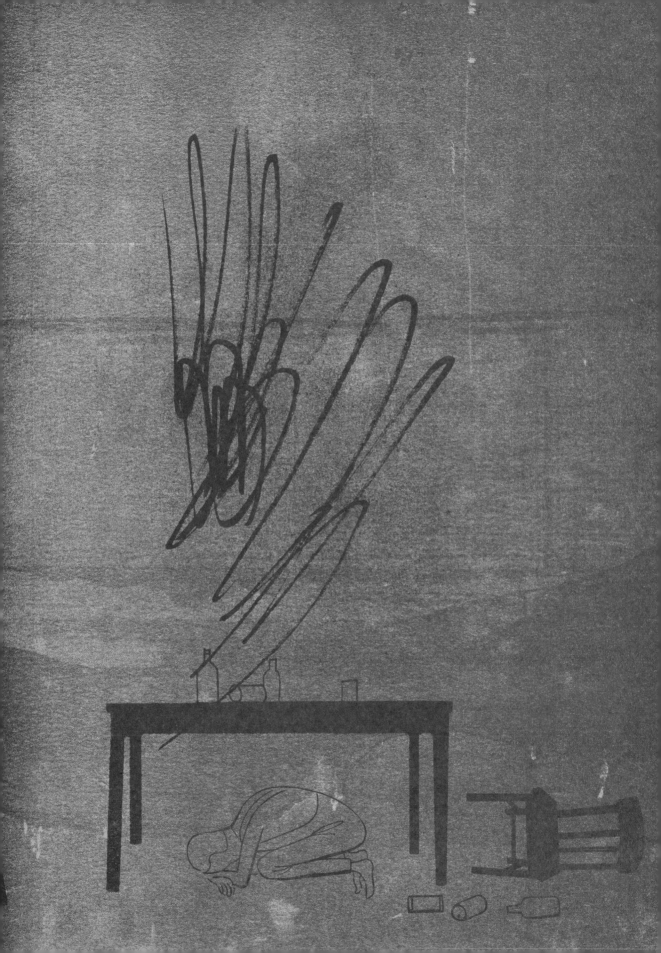

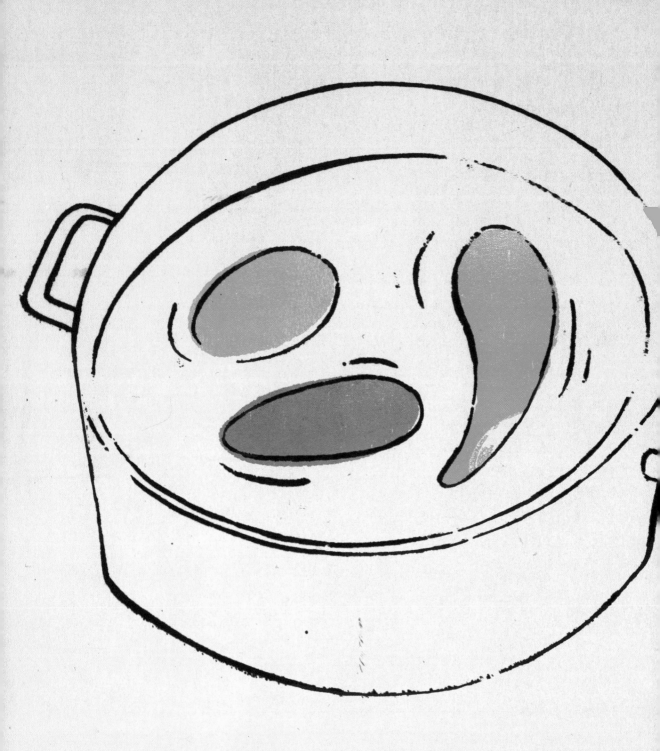

Pour la soupe, il faut de l'eau dans la marmite, trouver
et couper des légumes, mais les couteaux, c'est interdit !
Il faut le feu sous la marmite, et ça, c'est archidéfendu !
— *Ah ! mon Dieu, Toto ! ne touche jamais au feu,*
tu m'entends ! C'est très dangereux !
Maman Gritte répétait toujours ça. Alors, j'ai mis de l'eau
dans la marmite et ensuite, les patates dans l'eau, mais
une patate, ça ne se casse pas seulement avec les mains,
et les navets non plus, alors je les ai laissés dans l'eau
et je suis allé me coucher.
J'ai pensé : « Demain, je vais me réveiller et j'aurai
une bonne soupe ! »

Mais le lendemain matin, ça ne sentait rien. L'eau était
brune. Je l'ai remuée avec la cuiller et je suis allé me
promener.
« Quand je vais revenir, j'aurai une bonne soupe ! »
Mais non, c'était pareil. Même qu'après trois jours,
il y avait de la mousse et des petites fleurs blanches
dans l'eau. Ça sentait quelque chose, mais pas la soupe.
Avec maman qui était en voyage et Jacques parti,
ça me faisait mal à la tête, à force de réfléchir.
Je n'avais pas l'habitude d'être tout seul. Et j'avais faim.

Les patates étaient vertes avec de la mousse brune
et des cheveux qui pendaient. La poubelle débordait, mais
personne ne me disait de la sortir, ni rien ! Le frigo puait
à l'intérieur. Je buvais tout le lait qui goûtait le vieux
fromage pourri. Il y avait de gros morceaux dedans comme
des crachats jaunes. Je mélangeais tout avec une cuiller :
de la moutarde et de la mayonnaise, des cornichons
et de la confiture de fraises. Je me faisais une tartine
avec du pain vert.

Ça goûtait bizarre, mais, dans mon ventre, ça a arrêté de crier « J'ai faim ! J'ai faim ! » J'ai vidé tout le frigo tellement j'avais faim.

Un peu plus tard, dans la salle de bain, j'ai eu mal
au ventre. J'ai vomi sur moi, de la bouche et de derrière,
j'en ai mis partout. Je criais :
— *Maman, tu m'apportes du papier s'il te plaît ?*
J'ai frotté partout sur moi avec le tapis de bain.
J'avais peur, j'ai couru, j'ai tapé sur le téléphone :
— *Maman, je suis malade ! Maman, viens me soigner !*
Mais c'était le bip cassé et j'ai pleuré.

Pas très longtemps après, je suis devenu chien.

Une nuit, j'ai entendu comme le cri d'une bête qui pleure.
J'ai eu un peu peur, mais ça m'a fait penser à Delphine
mon chien qui était resté tout seul attaché dans sa niche,
et que j'avais oublié de lui donner son manger. Parce que
personne ne me l'avait dit. Alors, j'ai pris le sac à chien
et je suis allé le retrouver dans sa niche.

En me voyant, Delphine mon chien, qui était devenu
tout maigre et fatigué, a quand même tapé sa grosse queue
de joie contre moi. Je l'ai détaché et il a presque attaqué
le sac ; alors, je lui ai versé une montagne dans son bol.
Il m'a dit merci de la langue et de la queue tellement
il était content. Il a dévoré très vite, et moi, j'ai goûté
à son manger dans son bol, et c'était très bon.

Au début, je suis devenu chien pour ne pas être seul.
J'aimais beaucoup vivre avec Delphine. Je lui ai parlé
et il m'a écouté :
— *Je n'ai pas trop le moral,* j'ai dit.
Il a compris. Il s'est poussé, m'a fait une place. Il est intelligent,
Delphine. Ça s'est bien passé entre nous deux. On a couru dans
les champs, on a rigolé, on a partagé le manger de chien.

Quand il n'y a plus eu de nourriture à chien, j'ai pensé
au frigo, en haut où c'est glacé. J'ai trouvé un jambon
gelé avec un os au milieu. Delphine l'a attaqué avec
le plastique. C'était pas commode de gruger avec lui,
sans les doigts. Il avait le truc. Il coinçait le jambon entre
ses pattes, se cramponnait et mâchouillait la couenne gelée
jusqu'à l'os. Quand je passais après lui, c'était tout baveux.
Je lui laissais l'os, moi je n'avais pas les dents qu'il faut.

J'ai trouvé aussi de la sauce à spaghetti, un poulet
avec la chair de poule, de la crème glacée trois couleurs,
un paquet de saucisses, deux steaks avec un os dedans.
Delphine préférait la viande crue, moi, la crème glacée.

Quand ça a été fini, j'ai fouillé dans le garde-manger.
J'ai tout déposé dans le bol à chien. Tous les deux
on s'est régalés de confiture, de beurre d'arachide,
de biscuits à deux étages avec de la crème sucrée
à l'intérieur.

Quand le bol a été presque vide, on a léché, Delphine
et moi. J'étais presque devenu aussi rapide que lui.

Delphine avait une grande niche. C'est un gros chien gardien, plein de poils chauds ; alors, je pouvais rester assis ou couché, avec mes bras autour. Il n'a jamais grogné après moi, même si je le poussais. Maman Gritte disait toujours :

— Delphine pourrait manger n'importe quel animal, mais jamais il ne toucherait à Toto, il est comme son bébé !

Alors, si j'étais son bébé, c'était normal qu'il me laisse une place. J'étais un chien.

Peut-être que c'était voulu que maman Gritte et Jacques, ils m'aient laissé avec lui, si je suis un chien ?

Voilà comment tout ça, ça m'a fait devenir chien.

Être chien, ça a des bons côtés : on dort beaucoup, à l'ombre,
on fait pipi où on veut, on se gratte le ventre, on se farfouille
dans les poils, sans que personne te crie « Arrête un peu ! »
On se fait lécher l'entre des deux orteils par Delphine,
c'est tout râpé et mouillé.

Mais, dans une vie de chien, il y a aussi des moments difficiles.

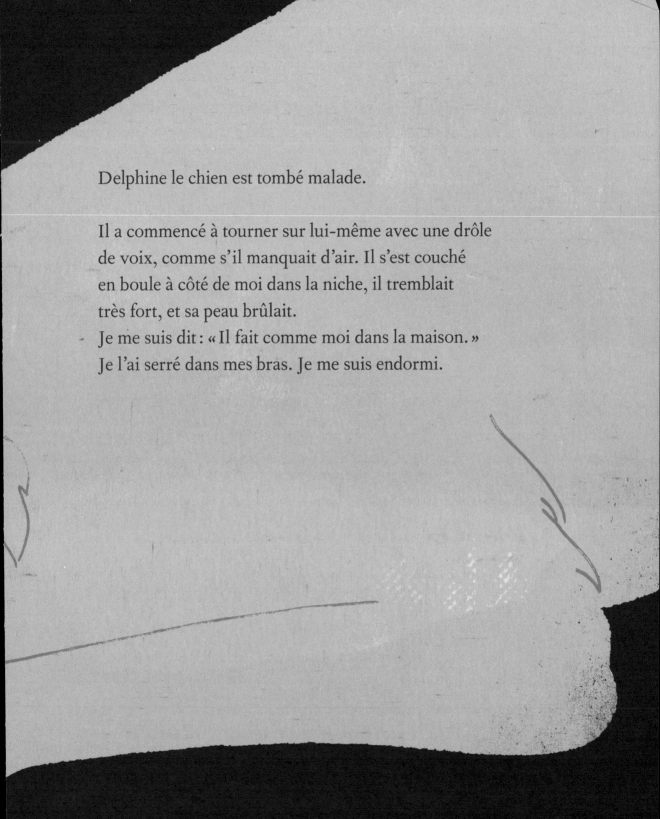

Delphine le chien est tombé malade.

Il a commencé à tourner sur lui-même avec une drôle
de voix, comme s'il manquait d'air. Il s'est couché
en boule à côté de moi dans la niche, il tremblait
très fort, et sa peau brûlait.
Je me suis dit : « Il fait comme moi dans la maison. »
Je l'ai serré dans mes bras. Je me suis endormi.

Le lendemain matin, il ne s'est pas rendu compte qu'on était le matin et, toute la journée, il a gardé les yeux fermés. Un jour et une nuit après, il est devenu tout raide et froid. Encore plus tard, il s'est mis à gonfler et à puer le vieux steak pourri. J'appuyais ma tête sur son ventre dur, ça faisait comme un gros oreiller qui sentait mauvais. Puis, il y a eu des tonnes de mouches qui ont débarqué dans notre niche.

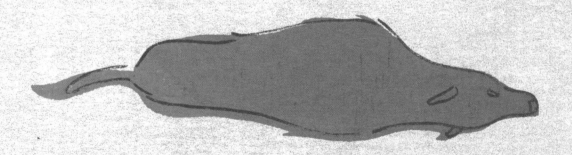

Une nuit, je suis sorti au grand air.
C'était plus facile pour respirer.
Je me suis assis sous un gros arbre.
J'ai vu le ciel noir avec les étoiles brillantes,
comme des bougies d'anniversaire.
J'ai chanté « Joyeux anniversaire, Toto ! »
Et je me suis endormi.

Quand il a fait le jour, j'ai vu le ventre des oiseaux
en haut. Ma queue de chien a battu partout de joie.
J'ai décidé de monter dans le gros arbre, perché
dans le vert. J'ai trouvé un nid avec personne
dedans. J'ai attendu toute la journée.

Le soir, un oiseau, avec une paille dans la bouche,
a atterri dans le nid. J'ai dit :

— *Bonsoir l'oiseau !*

Il m'a répondu :

— *Pit, pit, pit !*

Puis, il s'est envolé. J'ai regardé ses ailes et son ventre blanc.
J'ai crié très fort à maman Gritte, en voyage, pour ne pas
qu'elle s'inquiète :

— *Je dors en haut, dans l'arbre, maman ! Je n'ai pas peur.*
Je me suis fait ami avec un oiseau !

Tout à coup, le téléphone a sonné dans la maison,
j'ai pensé : « C'est maman Gritte ou mon frère Jacques.
Ils vont revenir ! Ils ne vont jamais me laisser dormir ici,
en haut, dans l'arbre ! »
Le téléphone s'est arrêté tout seul. Après, je me suis
endormi dans l'arbre.

Le lendemain matin, j'ai vu la voiture de mon oncle Pierre
arriver très vite, de loin, avec de la poussière de chemin.
Quand il m'a aperçu en haut, dans l'arbre, avec ses yeux
comme des assiettes, il a dit :

— *Dans quel état tu es !*

J'ai glissé en bas de l'arbre comme un chien-singe
de la jungle. J'ai couru jusqu'à oncle Pierre. Il m'a
serré fort dans ses bras. Ça a duré longtemps.

Après, dans la maison, il est allé vers le téléphone. J'ai dit :

— *Il est cassé !*

Mon oncle m'a fait le signe non avec sa tête.

Dans le téléphone, il a parlé de moi à quelqu'un.

— *Oui, mon neveu Antoine est bien ici. Tout seul.*

Oui, je m'occupe de lui.

Ensuite, il a dit des choses que je n'ai pas toutes comprises :

— *Oui, oui, j'irai identifier le corps de Jacques…*

sa bicyclette… dans le canal ?

Moi, après le téléphone, j'ai demandé :

— *Il va revenir, Jacques ?*

Et mon oncle, il a répondu :

— *On en parlera plus tard, maintenant c'est l'heure*

de la douche, tu pues !

J'ai ri comme une otarie.

Oncle Pierre m'a mis des vêtements propres.
Et moi, j'ai dit, habillé en sou neuf :
— *Maman est très fatiguée. Elle se cache en voyage
parce qu'elle est très fatiguée ?*
— *Oui, elle se repose. Tu vas venir chez nous.*

— *Et Jacques aussi, il se repose ?*
— *Oui, lui aussi.*
— *Je vais venir chez vous, parce que j'aime beaucoup
la balançoire.*

Est-ce que je vais pouvoir monter dans l'arbre à côté de la balançoire ?

— *Pourquoi pas ? On pourrait construire une cabane dans l'arbre, avec Luce et Léon.*

— *Oui, mais une cabane sans toit !*

Il a ri :

— *Pourquoi sans toit ?*

— *Pour voir le ciel et le ventre des oiseaux !*